Do Dylan, Faith, Megan
agus . . . DAVE! – K.G.

Do Lucy agus Alice,
le gaol. x – N.D.

A' chiad fhoillseachadh ann an 2018 le Macmillan Children's Books
roinn de dh'fhoillsichearan Pan Macmillan, 20 New Wharf Road, Lunnainn N1 9RR.
Caidreabh chompanaidhean air feadh an t-saoghail
www.panmacmillan.com

© an teacsa le Kes Gray 2018
© nan dealbhan le Nikki Dyson 2018

Tha Kes Gray agus Nikki Dyson a' dleasadh an còraichean a bhith air
an aithneachadh mar ùghdar agus neach-deilbh na h-obrach seo.

9 8 7 6 5 4 3 2 1

Duilleagan 30-31 Dealbhan @ Shutterstock
Tuilleadh dhealbhan: Bone-Eating Snot Flower Worm © Alamy / Taigh-tasgaidh
Eachdraidh Nàdair; Pink Fairy Armadillo © FLPA; Blobfish © Caters News Agency;
Ice Cream Cone Worm © Hans Hillewaert; Monkeyface Prickleback: NOAA/MBARI

A' chiad fhoillseachadh sa Ghàidhlig 2019 le Acair Earranta
An Tosgan, Rathad Shìophoirt, Steòrnabhagh, Eilean Leòdhais HS1 2SD

info@acairbooks.com   www.acairbooks.com

© an teacsa Ghàidhlig 2019 Acair

An tionndadh Gàidhlig le Mòrag Anna NicNèill
An dealbhachadh sa Ghàidhlig le Mairead Anna NicLeòid

Tha Acair a' faighinn taic bho Bhòrd na Gàidhlig.

Gheibhear clàr catalog CIP airson an leabhair seo ann an Leabharlann Bhreatainn.

LAGE/ISBN: 978-1-78907-037-8

Clò-bhuailte ann an Sìona

OSCR
Scottish Charity Regulator
www.oscr.org.uk
Registered Charity
SC047866

Riaghladair Carthannas na h-Alba
Carthannas Clàraichte/
Registered Charity SC047866

"DÈ AN T-AINM A TH' ORT?!"

KES GRAY + NIKKI DYSON

B' e latha trang eile a bh' ann aig Ministrealachd Ainmean Gòrach nam Beathaichean.

"Bu toigh leam m' ainm atharrachadh, mas e ur toil e," thuirt an cù a bh' aig toiseach na ciudha.

"Am faod mi faighneachd carson?" thuirt an Secretary Bird a bh' air cùlaibh a' chunntair.

"A chionn 's gur e Cockapoo a th' annam," thuirt an Cockapoo.

"HA HA HA HA!" thuirt na beathaichean eile air an robh ainmean gòrach.

"Seall sin," thuirt an Cockapoo. "Tha a h-uile duine a' dèanamh gàire nuair a dh'innseas mi dè an seòrsa cù a th' annam."

"B' fheàrr leam gur e Cockapoo a bh' annam seach Monkeyface Prickleback," thuirt am Monkeyface Prickleback a bha na sheasamh aig uinneag àireamh a dhà.

"HA HA HA HA HA!" thuirt na beathaichean eile air an robh ainmean gòrach.
"Chan eil rian gur e ainm ceart airson beathach a tha sin."
"'S e," thuirt am Monkeyface Prickleback le osna.

"B' fheàrr leam gur e Monkeyface Prickleback a bh' annam seach Pink Fairy Armadillo," thuirt am Pink Fairy Armadillo a bh' aig uinneag àireamh a trì.

"HA HA HA HA HA HA!" thuirt na beathaichean eile air an robh ainmean gòrach.

"Bi taingeil nach e Blue-Footed Booby a th' annad," thuirt am Blue-Footed Booby a bh' aig uinneag àireamh a ceithir.

"HA HA HA HA HA HA HA!" thuirt na beathaichean eile air an robh ainmean gòrach.

"Bi taingeil nach e Ice Cream Cone Worm a th' annad," thuirt an Ice Cream Cone Worm aig uinneag àireamh a còig le osna.

"Bi taingeil nach e Shovelnose Guitarfish a th' annad!" thuirt an Shovelnose Guitarfish a bha na sheasamh aig uinneag àireamh a sia.

"HA HA HA HA HA HA HA HA HA HA HA!" thuirt na beathaichean eile air an robh ainmean gòrach.

"Smaoinich nam b' e BLOBFISH a bh' ort," thuirt am Blobfish aig uinneag àireamh a seachd le osna.

"HA HA HA HA HA HA HA HA HA HA HA HA HA HA HA HA!" thuirt na beathaichean eile air an robh ainmean gòrach.

"Chan eil mi coltach ri blob, a bheil?!"

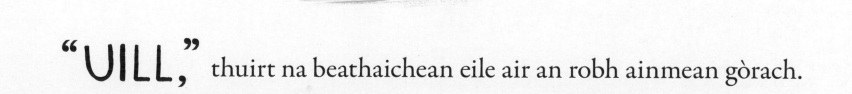

"UILL," thuirt na beathaichean eile air an robh ainmean gòrach.

"Chan eil mise coltach ri Bone-Eating Snot Flower Worm, a bheil?" thuirt am Bone-Eating Snot Flower Worm aig uinneag àireamh a h-ochd. "Ach siud m' ainm, a dh'aindeoin sin."

"HA HA HA HA HA HA HA HA HA HA HA HA HA HA HA HA !"
thuirt na beathaichean eile air an robh ainmean gòrach.

"Bheir mi dhut millean tomhas ach dè a chaidh a thoirt ormsa," thuirt an t-iasg aig uinneag àireamh a naoi le greann.

"Fungus Faced Flounder?" thomhais am Monkeyface Prickleback.

"Gungy Gobbed Grouper?" thomhais am Pink Fairy Armadillo.

"Inns dhuinn!" thuirt am Blue-Footed Booby.

"Siuthad, inns dhuinn," thuirt am Bone-Eating Snot Flower Worm. "Geallaidh sinn nach dèan sinn gàire."

"Tasselled Wobbegong," thuirt
an Tasselled Wobbegong le osna.

"HA HA HA HA HA HA HA HA HA HA HA HA HA HA HA HA HA!"
thuirt na beathaichean eile air an robh ainmean gòrach.
"DÈ AN T-AINM A TH' ORT?!"

"Bha mise a' smaoineachadh gur e ainm gòrach a bh' ann am Faochag!" thuirt an Fhaochag aig uinneag àireamh a deich.

"Bha mise a' smaoineachadh gur e ainm gòrach a bh' ann an Fried Egg Jellyfish," thuirt am Fried Egg Jellyfish aig uinneag àireamh a h-aon-deug. "Ach TASSELLED WOBBEGONG? 'S beag an t-iongnadh gu bheil a h-uile duine a' gàireachdainn!"

"Dèanaibh deiseil airson tuilleadh gàireachdainn," thuirt an speach aig uinneag àireamh a dhà-dheug le osna.

"Tha an t-ainm a th' ormsa cho gòrach, 's nach urrainnear a ràdh GUN ghàire."

"Dè seòrsa speach a th' annad ma-thà?" dh'fhaighnich am Fried Egg Jellyfish.

"'S e Aha Ha a th' annam,"
thuirt an speach.

AINM:

SPEACH
AHA HA

"AHA HA HA HA HA!"
thuirt na beathaichean eile air an robh
ainmean gòrach.

"Chan e, ach AHA HA," thuirt an speach le greann.

"AHA AHA AHA AHA AHA AHA!" thuirt na beathaichean eile air an robh ainmean gòrach.

"CHAN E. Chan e AHA AHA AHA AHA AHA
AHA," thuirt an speach gu cruaidh.
"AHA HA!"

"AHA HA HA HA HA HA HA HA HA HA HA HA HA HA HA HA
HA HA HA HA HA HA HA HA HA HA HA HA HA HA HA!"
thuirt na beathaichean eile air an robh ainmean gòrach.

"Ceart, sin agad e," thuirt an Aha Ha gu crosta. "Bu toigh leam
m' ainm atharrachadh sa bhad, mas e ur toil e."

"Glè mhath," thuirt an Secretary Bird aig uinneag àireamh a dhà-dheug. "Agus dè an t-ainm ùr a bu toigh leat?"

FÌRINNEAN IS DEILBH

Ainm: Blue-Footed Booby
Rèis-sgèithe: 81-86 cm
Fìrinn: Rin lorg anns na h-Eileanan Galapagos, tha na blue-footed boobies fhireann a' dannsa gus an fheadhainn bhoireann a thàladh agus mar as guirme na casan aca, 's ann as fheàrr. Breab do chas, a Bhooby!

Ainm: Secretary Bird
Àirde: 90-137 cm
Fìrinn: Air ainmeachadh airson a chìrein iteagaich, tha an sealgair seo math air nathraichean a ghlacadh. Ìoc!

Ainm: Tasselled Wobbegong
Meud: 117-125 cm
Fìrinn: Tha na cearbain seo rin lorg ann an sgeirean corail agus tha sreathan de dh'fhiaclan fada, biorach aca. Obh, obh!

Ainm: Faochag
Meud Cumanta: 3.8 cm
Fìrinn: Tha na creutairean seo air an ithe còmhla ri fìon-geur le daoine ann an sgìrean cladaich na Rìoghachd Aonaichte. Ium!

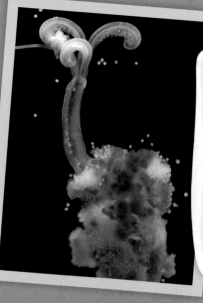

Ainm: Bone-Eating Snot Flower Worm
Meud: 1-2 cm
Fìrinn: Chan eil beul no caolan aig a' bhoiteig seo, a chaidh a lorg ann an Calafòrnia — mar sin tha i a' gabhail a-steach stuth cnàimhe a tha i air a chnàmh le a freumhan a' cleachdadh searbhaig. Ghia!

Ainm: Blobfish
Meud Cumanta: 30 cm
Fìrinn: Fhuair am Blobfish, a tha a' fuireach ann an uisgeachan domhainn a' chuain, a' bhòt airson am beathach as gràinde san t-saoghal agus chan eil fèithean idir aige. Chan ann a-mhàin blobby ach bog.

Ainm: Fried Egg Jellyfish
Meud Cumanta: 35 cm
Fìrinn: Tha gath air
leth lag aig an Jellyfish
Mheadhan-thìreach seo.
Sliseagan leis a seo,
duine sam bith?

Ainm: Speach Aha Ha
Meud Cumanta: 30 mm
Fìrinn: Chaidh an Speach
Aha Ha ainmeachadh leis
an eòlaiche mheanbh-
fhrìde Arnold Menke ann
an 1977 airson fealla-
dhà. Tha an speach seo
cho aonaranach agus nach b' urrainn
dhuinn dealbh a lorg dheth!

Ainm: Shovelnose
Guitarfish
Faid: Up to 1.7 m
Fìrinn: Rin lorg ann
an Caolas Chalafòrnia
mar as trice, tha an
sòrnan seo eu-coltach
ri sòrnain eile seach nach eil
guin no gath aige, agus mar sin
cha dèan e cron air daoine.
Nach cluich sinn!

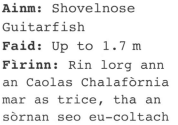

Ainm: Monkeyface
Prickleback
Meud Cumanta:
76 cm
Fìrinn: Air an
lorg air costa
a' Chuain Shèimh
ann an Ameireaga
a Tuath, tha cuirp fhada
easgannach aig na h-èisg seo
agus tha coltas iongnaidh
orra an-còmhnaidh. Carson?

Ainm: Pink Fairy
Armadillo
Meud: 9-11.5 cm
Fìrinn: Rin
lorg ann am
Meadhan Argentina
mar as trice,
tha na creutairean seo
sgoinneil air cladhach agus
's urrainn dhaibh iad fhèin
a thiodhlacadh gu tur ann am
beagan dhiogan ma bhios an
t-eagal orra. Falach-fead,
a h-uile duine!

Ainm: Cockapoo
Meud: 25-38 cm
Fìrinn: Tha an cuilean
càirdeil seo a' tighinn
bho Cocker Spaniel agus
Poodle agus tha iad air
leth èasgaidh. Àlainn!

Ainm: Ice Cream Cone Worm
Meud: 4-6 cm
Fìrinn: Rin lorg ann an
Ameireaga a Tuath, tha na
sligean meanbh aca, a tha
ann an cumadh còna, air an
dèanamh de dh'aon fhilleadh
de ghràineanan gainmhich agus
pìosan eile de shligean, air
an glaodhadh ri chèile. Blasta!

MINISTREALACHD
AINMEAN GÒRACH
NAM BEATHAICHEAN

"DÈ AN T-AINM A TH' ORT?!"

FOIRM AIRSON
AINM ATHARRACHADH ◯

AINM: _ _ _ _ _ _ _ _ _ _ _ _ _

DÈAN DEALBH DHÌOT FHÈIN GU H-ÌOSAL ↓

HA HAHA!!

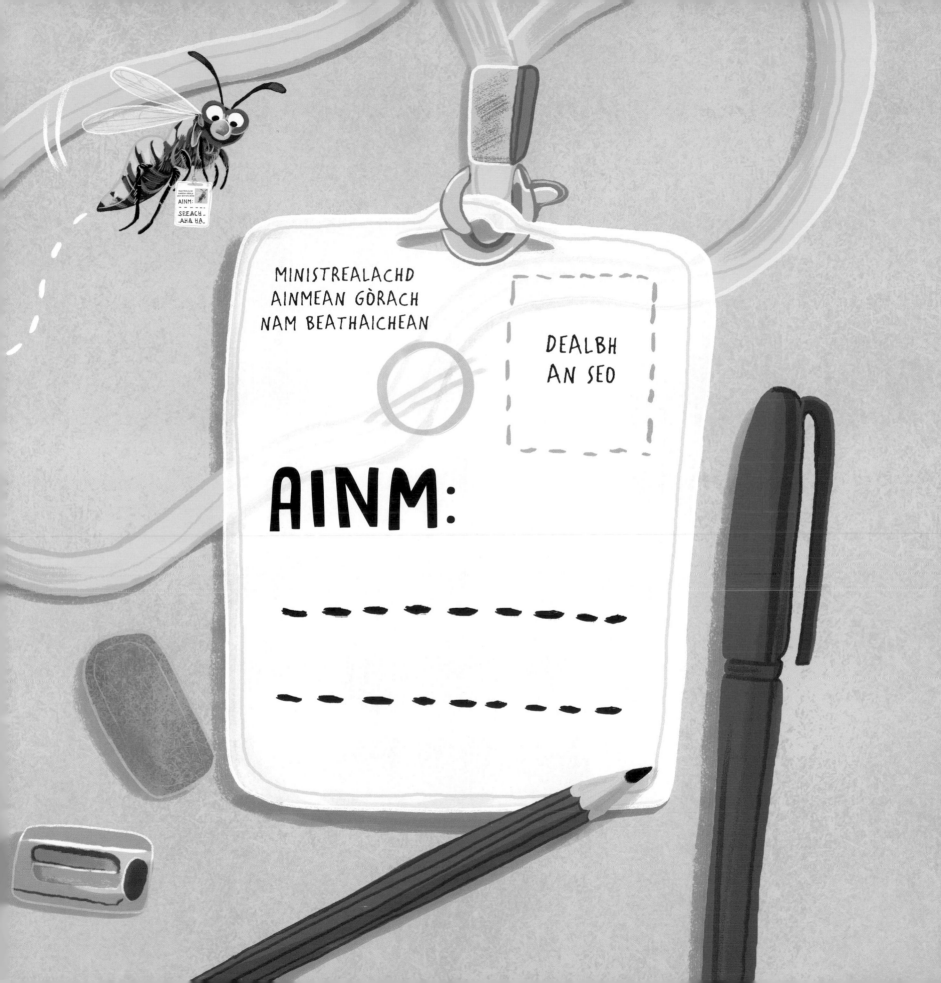